야생 붓꽃

THE WILD IRIS by Louise Glück
Copyright © 1992, Louise Glück
All rights reserved.

Korean Translation Copyright © 2022 by SIGONGSA Co., Ltd.
This Korean translation edition is published by arrangement with The Wylie Agency
(UK) LTD.

이 책의 한국어판 저작권은 The Wylie Agency (UK) LTD와 독점 계약한
㈜SIGONGSA에 있습니다.
저작권법에 의해 한국 내에서 보호를 받는 저작물이므로 무단 전재와 무단 복제를 금합니다.

The Wild Iris

야생 붓꽃

루이즈 글릭 지음
정은귀 옮김

SIGONGSA

일러두기
- 본문의 이탤릭체는 원서에서도 이탤릭체로 표기된 부분이다.
- 외국 인명·지명·작품명과 독음은 외래어표기법에 따랐다.
- 식물 이름 앞에 '참~', '개~'를 붙여서 식용 여부와 약의 효능 여부를 가렸다.

캐서린 데이비스
메러디스 호핀
데이비드 랭스턴에게

존과 노아에게

차례

야생 붓꽃 THE WILD IRIS　　　　　　　　　　　11

아침 기도 MATINS　　　　　　　　　　　　　13

아침 기도 MATINS　　　　　　　　　　　　　14

연령초 TRILLIUM　　　　　　　　　　　　　15

광대수염꽃 LAMIUM　　　　　　　　　　　　17

눈풀꽃 SNOWDROPS　　　　　　　　　　　　18

맑은 아침 CLEAR MORNING　　　　　　　　　19

봄 눈 SPRING SNOW　　　　　　　　　　　　21

겨울의 끝 END OF WINTER　　　　　　　　　22

아침 기도 MATINS　　　　　　　　　　　　　24

아침 기도 MATINS　　　　　　　　　　　　　25

실라꽃 SCILLA　　　　　　　　　　　　　　26

물러가는 바람 RETREATING WIND　　　　　　27

정원 THE GARDEN　　　　　　　　　　　　　29

산사나무 THE HAWTHORN TREE　　　　　　　31

달빛 속의 사랑 LOVE IN MOONLIGHT　　　　　32

사월 APRIL　　　　　　　　　　　　　　　　33

제비꽃 VIOLETS	35
개기장풀 WITCHGRASS	36
꽃고비 THE JACOB'S LADDER	39
아침 기도 MATINS	40
아침 기도 MATINS	41
노래 SONG	43
들꽃 FIELD FLOWERS	45
꽃양귀비 THE RED POPPY	47
클로버 CLOVER	48
아침 기도 MATINS	50
하늘과 땅 HEAVEN AND EARTH	52
입구 THE DOORWAY	54
한여름 MIDSUMMER	56
저녁 기도 VESPERS	58
저녁 기도 VESPERS	60
저녁 기도 VESPERS	62
데이지꽃 DAISIES	64

여름의 끝 END OF SUMMER	66
저녁 기도 VESPERS	68
저녁 기도 VESPERS	69
저녁 기도 VESPERS	70
이른 어둠 EARLY DARKNESS	71
수확 HARVEST	73
하얀 장미 THE WHITE ROSE	74
나팔꽃 IPOMOEA	76
프레스크 아일 PRESQUE ISLE	77
물러가는 빛 RETREATING LIGHT	79
저녁 기도 VESPERS	81
저녁 기도: 재림 VESPERS: PAROUSIA	82
저녁 기도 VESPERS	84
저녁 기도 VESPERS	86
저녁노을 SUNSET	88
자장가 LULLABY	89
은빛 백합 THE SILVER LILY	90

구월의 황혼 SEPTEMBER TWILIGHT   92
금빛 백합 THE GOLD LILY   94
흰 백합 THE WHITE LILIES   95

야생 붓꽃

THE WILD IRIS

내 고통의 끝자락에
문이 하나 있었어.

내 말 좀 끝까지 들어 봐: 그대가 죽음이라 부르는 걸
나 기억하고 있다고.

머리 위, 소음들, 흔들리는 소나무 가지들,
그리곤 아무 것 없어. 힘없는 태양은
메마른 땅 표면에 어른거리네.

끔찍해, 어두운 대지에 파묻힌
의식으로
살아남는다는 건.

그러고는 끝이 났지: 네가 두려워하는 것, 영혼으로
있으면서 말을 하지
못하는 상태가, 갑자기 끝나고, 딱딱한 대지가
살짝 휘어졌어. 키 작은 나무들 사이로
내가 새라고 생각했던 것들이 빠르게 날고.

다른 세상에서 오는 길을
기억하지 못하는 너,
네게 말하네, 나 다시 말할 수 있을 거라고: 망각에서
돌아오는 것은 무엇이든
목소리를 찾으러 돌아오는 거라고:

내 생명의 한가운데서 거대한
물줄기가 솟아났네, 하늘빛 바닷물에
깊고 푸른 그림자들이.

아침 기도
MATINS

햇살 비추고; 우편함 옆에, 갈라진 자작나무
이파리들이 지느러미처럼 주름 잡혀 포개져 있어요.
그 아래, 하얀 수선화들, 얼음 날개,[3]
    나팔 수선화의 속 빈 줄기들; 야생
제비꽃 어두운 이파리들. 노아가 말하네요,
우울증 환자들은 봄을 끔찍이 싫어한다고,
안과 밖의 세계가 불균형해지니까. 내 경우는
달라요—맞아, 우울하면 그렇지, 하지만 어느 정도는 살아 있는
나무에 열정적으로 착 달라붙어서, 내 몸은
실은 쪼개진 나무 몸통에 동그마니 웅크려, 평화로울 정도야,
    저녁 비에
수액이 보글보글 올라오는 걸
느낄 수 있을 정도인 걸: 노아가 말하네요, 이게 바로
우울증 환자들의 오류라고, 나무와 스스로를
동일시하는 것, 반면에 행복한 마음은
정원을 배회한다고, 떨어지는 이파리처럼, 전체가 아닌
부분의 형상으로 말이지요.

아침 기도

MATINS

닿을 수 없는 아버지, 우리가 처음
천국에서 추방되었을 때 당신은 모형을
하나 만들었지요, 어느 점에선
천국과 다른 장소, 교훈을
주려고 고안한 거죠: 그것 말고는
똑같았죠— 어느 쪽이든 아름다움이, 대신할 수 없는
아름다움이— 우리는 다만
그 교훈이 무언지 몰랐어요. 홀로 남겨져,
우리는 서로를 지치게 했어요. 어둠의
시절이 따라왔지요; 우리는 돌아가며
정원에서 일을 했어요, 첫 눈물이
우리 눈을 가득 채웠어요, 대지가
꽃잎들로 적셔질 때, 일부는
검붉은 색, 일부는 살색으로—
당신을 숭배하는 법을 배우고 있던
우리는 한 번도 당신을 생각해 본 적이 없어요.
다만 우리는 알고 있었지요, 사랑을 되돌려 주는 것만
사랑하는 것은 인간의 본성이 아니란 것을.

연령초

TRILLIUM

깨어났을 때 나는 숲에 있었어. 어둠은
자연스러워 보였어, 소나무들 사이로 하늘이
수많은 빛줄기들로 두터웠어.

난 아무것도 몰랐어, 보는 것 외엔 아무것도 못 했어.
내가 지켜보는 동안, 천상의 모든 빛들이
희미해지더니 어떤 것 하나를 만들었어,
차가운 전나무 사이로 타오르는 불을.
그러자 더는 가능하지 않게 되었어,
천상을 응시하고도 파괴되지 않는 것이.

내가 보호를 필요로 하듯이
죽음의 현존을 필요로 하는 영혼들이 있는가?
그 질문에 대답하려면 내가 아주
오래 말해야 할 것 같아. 그들이 보는 건
뭐든지 내가 볼 수 있을 것 같아,
전나무 사이로 오르는 사다리,
생을 맞바꾸자고 불러대는 그 무엇—

내가 이미 이해하는 걸 생각해 봐.

숲에서 나는 아무것도 모른 채 깨어났는데;
바로 조금 전에도, 나는 몰랐으니,
혹시 내게 목소리가 주어진다면, 내 목소리가
슬픔으로 가득 차게 될 거라는 걸, 내 문장들이
비명처럼 함께 엮이리란 것도.
내가 슬픔을 느낀다는 것조차 나는 몰랐어,
그 말이 도착하기 전까지는, 비가
내게서 흐르는 걸 느끼기 전에는.

광대수염꽃

LAMIUM

이게 바로 당신 심장이 차가울 때 당신이 사는 법.
내가 하듯이: 커다란 단풍나무들 아래,
그림자 속에서, 차가운 바위 위에 길게 드리워져.

태양은 나를 거의 건드리지 않아요.
때로 나는 이른 봄에 아주 멀리서 떠오르는 태양을 봅니다.
이파리들 그 위로 자라나 태양을 완벽히 가리고. 태양이
이파리 사이로 반짝이는 걸 느껴요 이따금씩,
누군가 숟가락으로 유리 옆면을 치는 것 같아.

살아 있는 것들이 모두 똑같은 정도로
빛을 필요로 하지는 않아요. 우리 중 일부는
우리 자신의 빛을 만들어요: 아무도 다닐 수 없는
좁은 길 같은 은빛 이파리, 어둠 속
커다란 단풍나무들 아래 얕은 은빛 호수.

하지만 당신은 이미 이걸 알지요.
진리를 위해 산다고 생각하는, 나아가,
차가운 모든 것을 사랑하는
당신과 그이들은.

눈풀꽃

SNOWDROPS

당신 아나요, 내가 어땠는지, 어떻게 살았는지?
절망이 어떤 건지 당신은 알지요; 그렇다면
당신은 겨울의 의미를 아시겠지요.

내가 살아남을 줄 몰랐어요,
대지가 나를 짓눌렀거든요. 내가 다시 깨어날 거라
예상하지 못했어요, 축축한 땅 속에서
다시 반응하는 내 몸을 느끼게 될 거라곤,
그토록 긴 시간 흐른 후에
가장 이른 봄
차가운 빛 속에서
다시 나를 여는 법을 기억해 내리라고는—

두렵냐고요, 네, 그래도 당신들 속에서 다시
외칩니다, 그래요, 기쁨에 모험을 걸어 보자고요,

새로운 세상의 맵찬 바람 속에서.

맑은 아침

CLEAR MORNING

나 너를 충분히 오래 봐 왔어,
내 좋은 식으로 네게 말할 수 있어—

네가 좋아하는 대로 맞춰 왔지, 네가 사랑하는 것들
참을성 있게 관찰하며, 오직

매개체를 통해서만 말하며, 땅의
세목들 안에서, 너 좋은 대로,

푸른 미나리아재비의
덩굴손, 이른 저녁의

빛—
넌 절대 받아들이려 하지 않겠지,

네가 바삐 이름 붙이는 사물들에
무심한 내 목소리 같은 목소리를,

너의 입들
감탄하는 작은 동그라미들에 무심한 목소리를—

그래서 지금껏 내내
내가 너의 한계를 다 받아 주었잖아, 네가

머잖아 스스로 그걸 던져 버릴 거라 생각하며,
물질이 네 시선을 영원히 흡수할 순 없을 거라 생각하며—

현관 창문에 푸른 꽃들을 그려 놓는
미나리아재비의 방해—

나 자신을 이미지들에
한정짓는 일, 계속 못하겠어,

넌 나의 의미에 이의를 제기하는 게
네 권리라고 생각하니까:

나 이제 네게 명료함을 강요할
준비가 되었어.

봄 눈

SPRING SNOW

밤하늘을 바라봐:
나에겐 두 개의 자아, 두 종류의 힘이 있어.

너의 반응을 보며 나 여기
너와 함께, 창가에 있어. 어제
낮은 정원에서 촉촉한 땅 위로 달이 떠올랐지.
이제 땅은 달처럼 반짝이네,
죽은 물질이 빛으로 덮인 것처럼.

이제 넌 눈을 감아도 돼.
나는 들었어, 당신 울음들을, 그 울음들 이전의 울음들,
또 그 울음들 뒤에 있는 요구도.
나 네게 보여 주었어, 네가 원하는 것을:
믿음이 아닌, 권위에의
항복을, 폭력에 기댄 그것을.

겨울의 끝

END OF WINTER

고요한 세상 위, 새 한 마리 운다,
검은 나뭇가지들 사이로 홀로 깨어나.

너는 태어나고 싶어 했어; 나 너를 태어나게 해 주었지.
지금껏 내 비통함이 언제
너의 즐거움을 막은 적이 있었는지?

감각을 갈망하여
어둠과 빛 속으로 동시에
곤두박질치면서,

마치 네가 너 스스로를 표현하길
원하는 새로운 어떤 것인 듯,

모든 빛, 모든 생기

이것이 네게 어떤 대가를 치르게 하리란 걸
절대로 생각하지 못하고,
내 음성의 소리가 너의 일부분이 아닌 어떤 것임을
절대로 상상하지 못하고—

다른 세계에서 너는 그걸 듣지 못할 거야,
다시는 또렷하게 듣지 못할 거야,
새 울음이나 사람의 외침으로는,

또렷한 소리로는 듣지 못하고, 다만
끊이지 않고 이어지는 메아리로
모든 소리 속에서 잘 가, 잘 가, 하는—

우리를 서로 묶어 주는
그 쉼 없는 선으로.

아침 기도

MATINS

나 당신 사랑한다 말하면 나를 용서해 줘요: 약자가
언제나 겁에 질려 내몰리니까 강자는 늘
속고 있잖아요. 내가 품지 못하는 걸
나는 사랑할 수 없어요, 그리고 당신은 사실상
아무것도 보여 주지 않잖아요: 당신은 산사나무처럼
언제나 같은 장소에서 같은 것으로 있나요, 아니면
변덕 심한 폭스글로버에 더 가까운가요, 처음엔
데이지 꽃들 뒤 경사면에 분홍색 꽃차례를 피우다가,
이듬해엔, 장미 정원에 보라색으로 피는? 당신은 보셔야 해요,
믿음을 돋우는 이런 침묵은 우리에게 아무 소용없다는 걸,
당신은 이 모든 것임에 틀림없어요, 폭스글로버와 산사나무와
연약한 장미와 강인한 데이지예요— 우리는 남겨져 생각해요
당신은 아마 존재하지 않았을지도 모른다고요. 이것이
당신이 우리에게 생각해 보라고 한 건가요, 이것이
그 아침의 침묵을 설명해 주나요,
아직 날개를 비비지 않은 귀뚜라미들과, 마당에서
싸우지 않고 있는 고양이들도요?

아침 기도

MATINS

자작나무들과 함께이듯 그게 당신과 함께인 걸 봅니다:
내가 당신께 사적인 방식으로
이야기하려는 건 아니랍니다. 우리 사이에
많은 것들이 지나갔어요. 아니면
언제나 일방적으로만
일어난 일이었나요? 내가
틀렸죠, 내가 잘못한 거예요, 나 당신께
인간이 되어 달라 청했지요— 내가 남들보다
요구가 더 많은 건 아니랍니다. 하지만
어떤 감정도 없다는 것, 내게 최소한의
관심도 없다는 것— 차라리 나,
자작나무에게 말 걸며 사는 게 나을지도 몰라요
이전의 생에서처럼: 그들이
엉망으로 하게 내버려 두세요, 그들이
낭만주의자들과 함께 나를 묻어 버리도록,
그 뾰족한 노란 이파리들이
떨어져서 나를 덮어 버리도록.

실라꽃

SCILLA

내가 아니라, 바보야, 자신이 아니라, 우리, 우리라고—
천국의 비평 같은
하늘색 파도: 왜
너희는 목소리를 보물처럼 여기니,
어떤 것이 된다는 건
아무것도 아닌 것과 비슷한데?
왜 너희는 위를 올려다보니? 신의
목소리 같은 메아리를
듣기 위해서? 우리한테 너희들은 다 똑같아,
고독하게, 우리 위에 서서, 너네 멍청한
인생들을 계획하지: 너희는 너희가
보내진 곳으로 가네, 모든 것들처럼,
바람이 너희를 심는 곳으로,
너희 중 한둘은 영원히
내려다보며 물의 이미지를
보고 있네, 또 듣고 있네, 무엇을? 파도,
그리고 파도 위로, 새가 우는 소리를.

물러가는 바람

RETREATING WIND

내가 너희를 만들 때, 나 너희를 사랑했지.
지금은 너희들이 가여워.

너희에게 필요한 건 뭐든 주었어,
대지의 침대, 푸른 대기의 담요—

내가 너희에게서 더 멀어질수록
나는 너희들을 더 분명히 보게 되네.
너희 영혼들 지금쯤 엄청난 것이 되었어야 하는데,
조잘대는 작은 것들,
지금 모습처럼 말고—

나 너희에게 모든 선물 다 주었지,
봄날 아침의 푸르름,
너희가 사용법을 몰랐던 시간을—
너희는 더 원했지, 다른 창조물을 위해
아껴 두었던 그 하나의 선물까지.

너희가 뭘 바랐든,
정원에서 자라는 식물들 사이에

너희의 자리는 없을 거야.
너희들 삶은 식물들 삶처럼 순환하는 게 아니니:

너희들 삶은 새가 나는 것처럼
고요 속에서 시작하고 끝이 나지—
하얀 자작나무에서부터 사과나무까지
아치처럼 이렇게 메아리치는 형식으로
*시작*하고 *끝*이 나지.

정원

THE GARDEN

나 다시는 하지 못했다,
그걸 바라보는 걸 차마 견딜 수 없어—

정원에서, 가는 빗줄기 속에서
완두콩 한 줄 심고 있는
젊은 연인들, 아무도
이 일 해 본 적 없는 것 같아,
아직까지 엄청난 시련들 맞닥뜨리지도
해결해 보지도 않은 것 같아—

연인들은 자신들을 보지 못하네,
상쾌한 흙 속에서,
아무 관점 없이 시작하면서,
그들 뒤엔 꽃들 구름처럼 드리운 담록색 구릉이—

여자는 그만하기를 원하고;
남자는 끝을 보고 싶어 해,
그것과 계속 있고 싶어 하네—

그녀를 좀 봐, 휴전하려고

그의 볼을 만지네, 손가락이
봄비에 청량하고;
가는 풀에서, 보라색 크로커스 꽃망울 터뜨리고—

여기서조차, 사랑의 시작에서조차,
그의 얼굴을 떠나는 그녀의 손은
출발하는 이미지를 연출하네,

그리고 그들은 생각하네,
이 슬픔을
못 본 척할 자유가 있다고.

산사나무

THE HAWTHORN TREE

나란히 있되, 손에
손을 잡지는 않고: 여름 정원을
걷고 있는 너희를 보았지—
움직일 수 없는 것들은
바라보는 법을 배우지; 정원을
가로질러 내가 너희를 쫓아갈 필요는
없어; 인간들은
감정의 흔적들을
사방에 남겨 두거든, 흙길 위에
흩뿌려진 꽃들, 모두
희고 금빛이네, 어떤 꽃잎은
저녁 바람에 가볍게
떠돌기도 하고; 내가 따라갈 필요는
없어, 지금 너희 있는 곳으로,
유독한 들판 깊숙이, 너희가 날아가는
이유, 인간의 열정 혹은 분노를
알기 위해: 그게 아니라면 왜
너희들은 모아 두었던 전부를
떨어뜨리겠니?

달빛 속의 사랑

LOVE IN MOONLIGHT

남자든 여자든 가끔 자기 절망을 다른 이에게
강요할 때가 있다, 이를 두고 사람들은
마음을 발가벗기다, 아니면, 영혼을 발가벗기다—
하는데, 이 순간 그들이 영혼을 얻었다는 의미다—
밖은, 어느 여름 초저녁, 온 세상이
달빛에 내던져졌다: 무리 지어 있는 은색 형체들,
빌딩이나 나무일지도 모르겠고, 그 좁다란 정원에
고양이는 숨어서 흙에 등을 부비고,
장미, 금계국, 또 어둠 속에서, 달빛의 합금으로
바뀐 국회 의사당 황금빛 돔, 희미하게
보이는 형체, 그 신화, 그 원형, 그 영혼
화염으로 가득 찬 그것 사실은 달빛인데,
다른 근원에서 와서, 달이 빛날 때만
잠깐 빛나고: 돌이거나 아니거나,
달은 여전히 그만큼 살아 있는 것이다.

사월

APRIL

그 누구의 절망도 나의 절망과 같지는 않다—

이 정원에 너희의 자리는 없다
그런 것들 생각하며 그 지겨운
표면의 흔적들을 만드는 너희들; 그 남자,
온 숲의 잡초를 야무지게도 뽑고 있다,
그 여자는 절뚝거리며 옷을 갈아입으려고도
머리 감으려고도 하지 않는다.

너희들이 서로 말하는지
내가 신경 쓸 거라 생각하니?
그런데 이건 알아 두면 좋겠어,
마음을 가진 두 창조물이
더 나은 존재들이길 내가 기대했단 걸:
너희가 서로를 진심으로 아끼지 않는다 해도,
적어도 너희가 알았으면 했지,
비탄은 나누어 퍼진다는 걸
너희들 사이에서, 너희들 집단에서, 나는
너희를 아니까, 짙은 파랑이
야생 실라꽃에, 하양이

숲 제비꽃에 흔적을 남기듯.

제비꽃

VIOLETS

우리들 세계에는 언제나
숨겨진 것이 있어서,
작고 하얀,
작아서 당신이 순수하다고
부르는 것이 있기에, 당신이 비통해하듯
우리는 비통해하지 않아요, 당신,
고통 받는 주인님; 우리가
길 잃은 것보다 당신이 더
길을 잃은 건 아니겠지요, 산사나무
아래서, 진주들 골고루 펼쳐진
쟁반 든 그 산사나무: 무엇이
당신을 우리에게로 데려왔을까요,
당신을 가르칠 우리에게로, 비록
당신이 커다란 손을 꽉 쥐고,
무릎 꿇고 우시더라도,
그토록 위대한 당신이건만
영혼의 본성에 대해선 하나도 모르는 당신,
영혼의 본성은 절대로 죽지 않는 걸요: 가여운 슬픈 신,
당신은 영혼을 절대로 갖지 못하거나
영혼을 절대로 잃어버리지 않을 것입니다.

개기장풀

WITCHGRASS

뭔가가
엉망이야, 엉망이야 외치며
반갑지 않은 세계로 들어오네요—

당신이 나를 그렇게나 끔찍이 싫어한다면
내게 애써 이름 붙여 주시지
않아도 돼요: 당신의 언어에
비방하는 말이 하나 더
필요한가요,
한 부류에 모든 책임을
돌리는 또 다른 방식—

당신이나 나나 알잖아요,
하나의 신을 섬기려면
하나의 적만 있으면
된다는 걸—

내가 그 적은 아닙니다.
이 화단 바로 여기서
일어나는 일을 외면하기 위한

하나의 핑곗거리일 뿐,
실패의 작은
모범 사례죠. 당신 소중한 꽃들 중 하나가
여기서 거의 매일 죽고 있어서,
당신은 쉴 짬이 없는 걸요,
그 원인을 처리해야 하니, 이 말은
뭐가 남든지, 그 어떤 것도
당신 개인의 열정보다
더 질길 거라는 뜻이지요—

세상에서 그게
영원히 계속될 것도 아니었는데.
하지만 왜 그걸 허락하는지, 당신은
늘 하는 걸 계속해 나갈 수 있는데,
애도하면서 동시에 탓하는 일,
늘 함께 가는 그 두 가지요.

살아남기 위해서 당신의 찬사는
필요 없습니다. 내가 여기 먼저 있었으니,
당신이 여기 있기 전부터, 당신이

정원을 만들기 전부터 말이지요.
그리고 나는 태양과 달만 남게 되어도
또 바다, 그리고 이 드넓은 들판만 있어도
여기 있을 것입니다.

내가 그 들판을 만들 것입니다.

꽃고비

THE JACOB'S LADDER

이 땅에 갇혀서,
당신도 역시 하늘나라에
가고 싶지 않을까요? 나는
어느 부인의 정원에 살아요. 죄송하지만, 부인;
열망이 내 은총을 앗아 갔어요. 나는
당신이 원했던 것이 아닙니다. 그러나
남자와 여자가 서로를
원하는 것처럼 보이듯, 나 역시 간절히
천국을 알고 싶어요— 그리고 지금은
당신 슬픔을, 베란다 창문에
닿은 발가벗은 줄기 하나를요.
그리고 결국엔, 뭘까요? 작고 파란 꽃은
별 같아요. 절대로
이 세상을 떠나지 않아! 이것이
당신 눈물이 의미하는 것 아닌가요?

아침 기도

MATINS

내가 시간을 어떻게 보내는지 알고 싶지요?
나는 잡초를 뽑는 척하며 앞마당 잔디를
거닐어요. 당신은 아셔야 해요,
무릎 꿇고, 꽃밭에서 토끼풀 뭉텅이 뜯어내면서
내가 잡초를 뽑고 있지 않다는 걸: 사실
난 용기를 찾고 있는 중이에요, 내 인생이 바뀔 거라는
어떤 증거를 찾고 있어요, 영원히
그러고 있을지 모르지만, 그 상징적인 이파리 하나
찾으려고 덤불 하나하나를 다
확인하며, 머지않아 여름이 끝나고 있고요, 어느덧
나뭇잎들 단풍이 들고요, 언제나 병든 나무들이
가장 먼저 가네요, 죽어 가는 것들 눈부신 노랑으로
물들고요, 그러는 동안 검은 새 몇 마리가 음악의
통행금지를 연주하고요. 당신 내 손 보고 싶지요?
첫째 음표처럼 지금은 비어 있네요.
아니면 징표 없이 계속하는 게
항상 핵심이었나요?

아침 기도

MATINS

내 심장이 당신께 무엇이길래
새 품종을 시험하는 정원사처럼
당신은 내 심장을 자꾸만
부수나요? 다른 걸로
연습하세요: 내가 어찌, 당신 원대로,
무리 속에서 살 수 있을까요, 당신이
내 종족의 건강한 이들에게서
나를 갈라 놓고 괴로운 격리를
강요하시면요: 정원에서 당신은
그러지 않잖아요, 병든 장미를
떼어 놓지 않잖아요; 당신은 병든 장미가
그 붙임성 있는 오염된 꽃잎들을
다른 장미들 얼굴에 흔들도록 놔두네요, 작은 진딧물들
이 식물에서 저 식물로 뛰어다니게 하고요, 당신 창조물 중
늘어나는 진딧물과 줄지은 장미 다음으로 제가
제일 하찮은 존재라는 게 또 다시 증명되는 걸요— 주여,
제 고독의 주체자로서, 적어도
제 죄책감이라도 덜어 주시고;
고립의 낙인을 거두어 주소서, 나를
다시 영원히 건강하게 만드는 것이

당신 계획이 아니라면요, 잘못된 어린 시절
내가 건강하고 완전했던 그때처럼,
그때가 아니라면, 내가 어머니 심장의
가벼운 무게 아래 있을 때, 그때가 아니라면,
꿈에서, 절대로 죽지 않는
최초의 존재였던 그때처럼요.

노래

SONG

보호받는 심장처럼,
핏빛 붉은
들장미가 피어나기
시작한다, 촘촘히 엉킨
커다란 관목이 떠받치는
제일 낮은 가지에서:
더 높은 데 있는 꽃들이
시들거나 썩어 가는 동안,
심장의 변함없는 배경인
어둠을 등지고 꽃을 피운다;
역경에서
살아남는 것, 그것이 오롯이
색깔을 짙게 한다. 하지만 존은
다르게 생각한다, 존 생각으론,
만약 이것이 시가 아니라
진짜 정원이라면, 그렇다면
그 붉은 장미는 다른 어떤 걸
닮을 필요 없다고,
다른 꽃도, 그늘진 심장도
닮을 필요 없다고,

반은 적갈색, 반은 진홍색으로
땅 위에서 고동치면서.

들꽃

FIELD FLOWERS

무슨 말 하고 있는지? 당신이
영원한 생명을 원한다고요? 당신 생각들이 정말로
그 모든 것만큼 설득력이 있는지? 분명히
당신은 우리를 보지도 않고, 듣지도 않네요,
당신 살갗 위엔
태양의 흔적,
노란 미나리아재비 꽃가루: 나
당신에게 말하네, 작은 딸랑이
흔들며 높다란 풀 빗장 사이로
빤히 보고 있는 당신에게— 아,
영혼이여! 영혼이여! 안을
바라보는 것만으로도 충분한가요? 인간성을
경멸해 버리면 그만이겠지만, 왜
그 광활한 들판을 무시하는지,
당신 시선은 미나리아재비의
또렷한 꽃봉오리 위를 지나서
무엇을 보고 있는지? 낙원에
대한 당신의 가난한 생각: 변화
없음. 땅보다 나은가? 당신이
어찌 알까요, 우리 가운데 서서

여기에도 없고 저기에도 없는 당신이?

꽃양귀비

THE RED POPPY

위대한 것은
생각이 있는 게
아니랍니다. 느낌들:
아, 제게는 느낌이 있어요, 그
느낌들이 저를 다스리지요. 제게는
태양이라 불리는 하늘나라
영주가 계셔서, 그분께
나를 열어서, 제 가슴의
불을 보여 주지요, 그가 제 가슴에
있는 것만 같은 그런 불을.
심장이 없다면 그런 영광이
어떻게 가능할까요? 오, 형제자매들이여,
당신도 한때는 나와 같았지요, 그 옛날,
인간이 되기 전에요. 한때는 당신도
자신을 활짝 열었고, 다시는
열리지 않았지요? 왜냐하면 진실로
나는 당신이 말하는 방식으로
지금 말하고 있으니까요. 나는 말을 해요,
산산이 부서졌으니까요.

클로버

CLOVER

우리들 사이에
흩어져 있는 걸
당신은 축복의 징표라 부르네,
우리처럼, 그것은,
잡초지만, 뿌리가
뽑힐 것이지만—

어떤 논리로
당신은
죽었으면 하고
바라는 무언가의
덩굴손을 모으는지?

우리 가운데 그토록
강력한 어떤 현존이 있다면,
사랑받는 정원의 보살핌 속에서
곱절로 무성해져야 하지 않을까?

이런 질문들을 당신은
당신 자신에게 물어봐야 해,

당신의 희생양들에게 그 질문들
맡겨 두지 말고. 당신은 이걸 알아야 해,
당신이 우리들 사이로 으스대며 걸을 때
나는 두 목소리가 말하는 걸 듣지,
하나는 당신의 영(靈), 다른 하나는
당신 손이 하는 행동.

아침 기도

MATINS

태양만이 아니라 대지가
그 자체로 빛나네요, 하얀 불꽃이
풀쩍 뛰어 오르네요, 그 화려한 산에서,
이른 아침에 어른거리는
그 평평한 길에서도: 이것은
우리만을 위한 것, 우리만
반응하도록 하는 것인가요, 아니면, 당신도
동요되어 대지의 현존 안에서
자신을 어쩌지 못하고
속수무책인가요— 나는 부끄러워요,
우리에게서 멀리 있는 당신이
우리를 하나의 실험으로 여긴다고
생각했던 것이: 일회용 동물이
되는 것은 비통한 일,
비통한 일. 사랑하는 친구여,
떨고 있는 사랑하는 동반자여,
당신이 느끼는 것 중 무엇이
당신을 제일 많이 놀라게 하는지,
대지의 찬란한 빛인지, 당신 자신의 기쁨인지?
나로서는, 언제나

그 기쁨이 바로 놀라움인데.

하늘과 땅

HEAVEN AND EARTH

하나가 끝나면, 다른 하나가 시작된다.
꼭대기에 파랑 띠 하나, 아래로는
초록과 금빛 띠, 초록과 짙은 장밋빛 띠.

존은 지평선에 서 있다: 그는
한 번에 둘 다를 원한다, 그는
한 번에 모든 것을 원한다.

극과 극은 쉽지. 단지
가운데가 수수께끼지. 한여름—
모든 것이 가능하다.

뜻: 다신 인생이 끝나지 않을 거야.

어떻게 내가 남편을 떠날 수 있을까?
정원에 서서
이런 꿈을 꾸며, 자기 갈퀴를
들고, 의기양양하게
이 발견을 발표하려 준비하는 사람,

여름 해의 불이
정원 가장자리에서
타오르는 단풍나무에
완전히 사로잡혀서
정말로 오도 가도 못하고 있다.

입구

THE DOORWAY

나로 머물고 싶었다,
세계가 가만히 있지 않듯이 가만히,
한여름 아니라 첫 꽃이
피기 직전의 순간, 그 어떤 것도
아직 과거가 되지 않은 그 순간—

취하게 하는 그 한여름이 아니라,
늦은 봄, 정원 가장자리
풀이 아직 웃자라지 않고, 이른
튤립이 막 열리기 시작하는 때—

먼저 가는 이들, 다른 이들 지켜보며
입구에서 서성이는 한 아이처럼,
다른 이들의 낙오를, 그 공공연한 휘청거림을
의식하며, 팔다리 꼿꼿이 모으고,

어떤 것에도 굴하지 않고
이 유약함들 물리칠 준비를 하는
임박한 힘을 믿는 아이의
열렬한 확신과 함께, 때는 바로

꽃 피기 전, 그 통달의 시대

그 선물 나타나기 전,
소유 이전.

한여름

MIDSUMMER

내 어떻게 도와줄까, 너희들 모두
다른 걸 원하는데—햇빛과 그늘,
습한 어둠, 메마른 열기—

서로 다투고 있는 너희 목소리에 귀 기울여 봐—

너희는 내가 왜 너희들에게
절망하고 있는지 궁금해하네,
무언가가 너희를 어떤 전체로 섞을 수 있으리라 생각하네—

천 가지 목소리들로 뒤얽힌
한여름의 고요한 대기

각각의 목소리가 외치네,
어떤 필요, 어떤 절대를,

그리고 그 이름 안에서 계속하여
서로의 목을 조르네
탁 트인 들판에서—

무얼 위해? 우주와 대기 때문에?
천상의 눈으로 보면 유일한
존재의 특권 때문인가?

너희들을 하나뿐인 독특한 존재로
만들려 한 건 아니었어. 너희들은
나의 화신이었지, 모든 다양함이었지

들판 너머로 밝은 하늘을 찾다가
너희들이 본다 생각하는 그런 게 아니라,
우연히 태어난 너희 영혼은
너희들을 확장한 어떤 것에
망원경처럼 고정되어 있어—

내가 만약 그 상승하는 징표,
별, 불, 분노에다
나 자신을 가두고자 한다면
내가 너희들을 왜 만들겠는가?

저녁 기도

VESPERS

한때 나 당신을 믿었어요; 무화과나무를 심었어요.
여기, 버몬트에서, 여름이 없는
나라에서, 그건 하나의 시험이었죠: 그 나무 만약 살아 있다면,
그건 당신이 존재한다는 걸 의미하지요.

이런 논리로, 당신은 존재하지 않아요. 혹은 당신은
예외적으로 존재하네요, 더 따뜻한 기후,
뜨거운 시칠리아와 멕시코, 캘리포니아,
상상하기 힘든 살구와 허약한 복숭아가
자라는 곳에서. 아마도 그이들은
시칠리아에서 당신 얼굴을 보겠지요; 여기서 우리는
당신 옷자락도 잘 못 보는데. 수확한 토마토를
노아와 존과 나누려면 나를 다스려야 합니다.

정의가 만약 다른 세상에 있다면,
천성이 금욕 생활을 강요하는
나 같은 사람들은, 모든 것들,
굶주림의 모든 대상들 가운데
가장 큰 몫을 차지해야 해요, 탐욕은
당신을 찬미하니까요. 누구도

더 고통스레 절제된 욕망으로
나보다 더 열렬히 찬미하지는 못해요, 혹은
누구도 나보다 더, 당신 오른편에, 그 자리 있다면,
앉을 자격 없어요. 이동하지 않는,
그 상하기 쉬운, 그 불멸의 무화과를 먹으면서요.

저녁 기도

VESPERS

당신의 길어진 부재 안에서, 당신은 제가
땅을 사용하는 걸 허락하시네요, 투자에 대한
어떤 보상을 기대하시면. 저는 보고해야 해요,
저의 숙제가 실패했다고, 주로
토마토 모종에 관해서인데.
토마토를 키우라고 저를 격려하면 안 된다고
생각해요. 아니면, 행여 그러실 거면, 당신은
이곳에 그토록 자주 찾아오는 그 차가운 밤도,
그 세찬 비도 주시면 안 돼요, 다른 지역들은
여름이 열두 주인데 말예요. 이 모든 것이
당신에게 속해 있어요: 한편,
저는 씨앗들을 심었어요, 흙을 찢는 날개 같은
그 첫 새싹들을 봤어요, 열을 지어 그처럼 빨리
늘어나는 그 까만 점은, 병충해로 부서진
저의 가슴이었어요. 당신에게 심장이
있는지, 우리가 그 단어를 이해하는 대로라면,
그게 저는 의문이에요. 죽은 것과 산 것을
구별하지 않는 당신, 그래서, 조짐에는 끄떡도 않는 당신,
당신은 모르실 거예요, 우리가 얼마나
끔찍한 공포를 견디고 있는지, 반점 돋은 이파리,

팔월, 이른 어둠 속에서 떨어지는
단풍나무 붉은 이파리들: 나는
이 덩굴들에 책임이 있는 걸요.

저녁 기도

VESPERS

당신이 날 사랑하는 것 이상으로,
당신은 들판의 동물들을 사랑하겠지요, 심지어,
어쩌면, 들판 자체를요, 팔월의 치커리와
과꽃들 점점이 뒤덮인 들판을:
알아요, 내가 나를 그 꽃들과
비교해 왔다는 걸, 꽃들은 감정의 영역이
훨씬 더 작고, 따질 문제도 없는데; 또 그 하얀 양들
실제론 회색인 양들과도: 나는
당신을 찬미하는 일에만
맞춰진 존재입니다. 그런데 왜
나를 괴롭히나요? 독이 있어
목초지 동물들이 건드리지 못하는
미나리아재비와 조팝나물을 난 연구해요: 고통은
당신이 필요하단 걸 이토록 사무치게 느끼게
하는 당신의 선물인가요, 당신을
숭배하려면 당신이 필요한 것처럼요,
아니면 당신, 황혼녘에 은빛으로 변하는
그 참을성 많은 양들, 그 들판을 편애하느라,
나를 버렸나요; 창백한 푸른빛과 짙은 푸른빛으로 빛나는
야생 과꽃과 치커리의 물결들, 당신은 이미

당신 옷이 얼마나 비슷한지 아시니까요.

데이지꽃

DAISIES

계속하세요: 당신 생각을 말해 봐요. 그 정원은
진짜 세상이 아니랍니다. 기계들이야말로
진짜 세상이지요. 솔직히 말해 보세요, 그 어떤 바보라도
당신 얼굴에서 읽을 수 있는 그걸요: 우리를
피하는 것은, 노스탤지어를
거부하는 것은 타당해요. 데이지 가득한 목초지를
휘저으며 바람이 만드는 소리,
그건 충분히 현대적이지 않아요: 그걸
따라가며 마음이 빛날 수는 없어요. 그런데 마음은
빛나고 싶어 하네요, 분명히, 기계들이
빛나는 것처럼, 하지만, 깊어지는 걸
원하지는 않아요, 일테면, 뿌리처럼요.
이른 아침, 아직 아무도 당신을 볼 수 없을 시간에,
당신이 초지 경계선으로 조심스레
다가오는 걸 보는 건, 역시나,
매우 감동적인 일이죠. 그 가장자리에 더 오래 서 있을수록,
당신은 더 긴장된 것처럼 보이네요. 아무도
자연 세계에 대한 느낌을 듣고 싶어 하지 않아요: 당신은 다시
비웃음을 살 테고; 경멸이 당신에게 차곡차곡 쌓이겠지요.
오늘 아침 당신이 정말로 듣고 있는 것에

대해서라면: 두 번 생각하세요,
이 들판에서 누가 뭘 말했는지
누군가에게 말하기 전에요.

여름의 끝

END OF SUMMER

모든 일들이 내게 일어난 후,
공허함이 밀려왔다.

형식 안에서 내가 지녔던 기쁨에는
한계가 있다—

이 점에서 나는 너희와 같지 않아,
나는 다른 몸으로는 풀려나지 않아,

나는 나 자신의 바깥에
안식처가 필요 없어—

내 가련한 영감 받은
창작품, 너희들은
머리나 식힐 거리, 마침내,
다만 작아지는 것; 너희들은
나처럼 끝에 가서는 너무 작아서
나를 기쁘게 할 수 없어.

또 너무 단호하고—

너희는 너희 사라짐에 대해
보상받기를 바라는데,
대지의 어떤 부분으로 다 받았잖아,
어떤 기념품, 너희들이 한때
노동에 대해 보상받았듯,
그 필경사는 은빛으로
값을 다 받았고, 양치기는 보리로,

계속하고 있는 것이
대지가 아니라 하더라도,
물질의 이 작은 조각들 아니라 해도—

너희가 눈을 뜨게 되면
나를 보게 될 텐데, 너희는
대지에 비치는
천상의 공허함을 보겠지, 생기 없이,
눈으로 덮인, 다시 텅 빈 들판들을—

그 다음엔 더 이상 물질로
변장할 수 없는 흰 빛을.

저녁 기도

VESPERS

당신이 어디 있는지, 나 더 이상 궁금하지 않아요.
당신은 정원에 있어요; 거기 존이 있는 곳에 있어요,
흙 속에서, 정신 팔린 채, 초록색 모종삽을 쥐고.
이게 그가 정원을 가꾸는 방식이에요: 십오 분 집중해서 일하고,
십오 분 황홀하게 생각에 잠기지요. 가끔씩
내가 그 옆에서 일을 해요, 땡볕 나기 전의 자잘한 일들,
잡초를 뽑고 상추를 솎아 내며; 때로 나는
위쪽 정원에 가까운 현관에서 바라보네요, 황혼이
첫 백합 등불을 만들어 낼 때까지: 그 시간 동안,
평화는 절대 그를 떠나지 않아요. 하지만 평화는 내게로 몰려오네요,
꽃이 품고 있는 자양분으로가 아니라
헐벗은 나무를 통과하는 눈부신 빛처럼.

저녁 기도

VESPERS

당신이 모세에게 나타나셨듯이, 나
당신이 필요해서, 당신은 내게 나타납니다,
자주는 아니지만. 나는 원래 어둠 속에서
살아요. 아마도 당신은 나를 훈련시키나 봅니다,
최소한의 밝음에만 내가 반응하도록. 아니면, 시인들처럼,
당신은 절망에 자극을 받으시나요, 비통이 당신을
움직여 당신 본성 드러나도록 하나요? 오늘 오후,
당신이 대개 침묵을 바치는 그
물리적인 세계에서, 나는 올라갔어요,
야생 블루베리 너머 그 작은 언덕을, 매우 난해하게
내 모든 걸음 위로 내려오는 블루베리들: 제가 너무 심각해서
당신이 나를 가여워하나요, 당신은 때로 고통 받는 이들을
가여워했지요, 그이들을 신학적인 은총들로
총애하면서? 당신이 예상하셨겠지만, 나는
올려다보지 않았어요. 그래서 당신이 나를 보러 내려왔지요:
내 발치에, 야생 블루베리 반짝이는
이파리들이 아니라, 당신의 불같은 자아가, 그 대단한
불의 초원이, 또 그 너머로, 지는 것도 아니고
     떠오르는 것도 아닌 붉은 해가—
나는 아이가 아니었어요; 난 환상을 이용할 수 있었어요.

저녁 기도

VESPERS

당신 우리가 모른다 생각했죠. 아뇨 언젠가 우린 알았어요,
아이들은 이런 것들 알아요. 지금 돌아서지 말아요—
　　　당신을 달래려고
우리가 속인 거예요. 나 기억해요
이른 봄의 햇살을, 짙은 일일초가
그물처럼 들어선 제방들. 나 기억해요
들판에 누워서, 오빠 몸을 만지던 걸.
지금 돌아서지 말아요; 당신을 위로하려고
우린 기억을 거부했어요. 당신을 따라했어요,
우리 죄의 세목들을 외우면서. 나 기억해요
전부는 아니고 그 일부를; 기만은
망각에서 시작합니다. 나 기억해요 작은 것들을,
산사나무 밑에서 자라는 꽃들을, 야생 실라꽃
방울들을. 전부는 아니라도, 당신이 존재한다는 걸
알기에 충분할 정도로: 다른 누가 남매 사이에
불신을 만들 이유가 있었겠어요, 그걸로 득을 볼 이가,
고독 속에서 우리가 의지했던 분 아니고서야? 다른 누가
우리가 그때 가졌던 그 유대를 그처럼 샘내어
우리가 잃어 버리고 있던 것이 세상이 아니라
천국이었다고 말했겠어요?

이른 어둠

EARLY DARKNESS

땅이 내게 기쁨을 줘야 한다고
너희들 어떻게 말할 수 있는지? 태어난 각각이
나의 짐인데; 내가 너희들 모두와
같이 해낼 수는 없어.

또 너희들은 내게 명령하고 싶어 하지,
내게 말하고 싶어 하지,
너희 가운데 누가 제일 소중한지,
누가 가장 나를 닮았는지.
또 너희들은 하나의 사례로 보여 주네,
그 순수한 삶을, 너희들이
얻고자 애쓰는 그 무심함을—

너희들이 스스로를 이해할 수 없는데
어떻게 나를 이해할 수 있을까?
너희들 기억은 그만큼
좋지가 않아서, 그렇게 멀리
돌아 닿을 수가 없는걸—

너희들이 내 아이들이라는 걸 절대 잊지 말아라.

너희들이 서로를 만졌기에 고통스러운 것이 아니라,
너희들이 태어났기 때문에,
너희들이 내게서 분리된 삶을
살고 싶어 했기 때문이야.

수확

HARVEST

과거의 너희를 떠올리면 너무 슬퍼져—

너희 좀 봐, 무턱대고 땅에 매달려
그게 하늘나라 포도밭이라도 되는 양
그 들판들, 네 주변에서 불꽃으로 타오르고 있네—

아, 조그만 것들, 너희들은 어찌나 확고한지:
그건 은총인 동시에 고통이야.

죽음에서 너희가 두려워하는 것이
이 너머의 형벌이라면, 너희는
죽음을 겁낼 필요 없어:

이것이 너의 형벌이라고
가르치려고
내 창조물을 내 몇 번 파괴해야 하는지:

시간 속에서 또 낙원 속에서
내가 너를 세운 그 한 번의 몸짓으로.

하얀 장미

THE WHITE ROSE

이게 땅인가요? 그렇다면
나는 여기에 속하지 않아요.

당신은 누구신가요, 불 밝힌 창가에
나그네나무의 나풀거리는 이파리들로
지금 가려져 있는?
첫 여름 지나면 나 죽을 곳에서
당신은 살아남을 수 있을까요?

밤새도록 나무의 가느다란 가지들이
밝은 창가에서 뒤척이며 바스락거리네요.
내게 나의 생을 설명해 줘요, 어떤 징표도 만들지 않는 당신,

밤에 당신을 소리 질러 불렀지만:
나는 당신과 같지 않아요, 나는 다만
목소리를 위한 몸만 있네요; 나는
침묵 속으로 사라질 수 없어요—

그리고 차가운 아침에
대지의 어두운 표면 위로

내 목소리의 메아리가 떠다니네요,
순백이 어둠 속으로 꾸준히 흡수되네요,

당신도 이곳에서 살아남을 수 없었단 걸 제게 납득시키려
당신이 결국 징표를 만들고 있었던 것처럼,

아니면 당신이 내가 불러낸 그 빛이 아니라
그 뒤에 있던 암흑이란 걸 제게 보여 주려고.

나팔꽃

IPOMOEA

다른 생에서 내 죄는 무엇이었을까요
이번 생에서 내 죄가
슬픔이듯, 나 다시는
오르도록 허락되지 않기에,
어떤 식으로든 나의 생을
반복하는 건 절대 허락되지 않기에,
산사나무에 감긴 채, 모든
지상의 아름다움 나의 형벌
당신 것이니만큼—
내 고통의 근원, 어째서
당신은 이 꽃들을 하늘처럼
내게서 드리우시나요, 나를
내 주인의 한 부분으로
표시하기 위함이 아니라면; 나는
그분의 망토 색깔, 내 살이
그의 영광에 형식을 부여합니다.

프레스크 아일

PRESQUE ISLE

모든 생애에, 어떤 순간이 있다, 한두 번은.
모든 생애에, 어딘가에 방 하나가, 바닷가나 산 속에.

테이블 위에, 살구 한 접시가. 하얀 재떨이 속에 씨들.

모든 이미지들처럼, 이것은 협정의 조건들이었다.
너의 뺨 위에, 햇살의 떨림,
너의 입술을 누르는 내 손가락.
희고 파란 벽들; 페인트칠 좀 벗겨진 나지막한 책상.

그 방은 틀림없이 아직도 있을 게다, 사 층에,
바다가 내다보이는 작은 발코니가 있는 방.
사각형의 하얀 방, 맨 위 시트가 젖혀져
    침대 가장자리에 걸쳐져 있고.
그것은 무(無)로, 실제로, 녹아들지 않았다.
열린 창문을 통해, 바다 공기, 요오드 냄새.

이른 아침: 물에서 돌아온 작은 소년을 부르는 남자.
그 작은 소년은—이제 스무 살이 되었겠지.

너의 얼굴 주변에, 축축한 머리카락 흩날려, 적갈색 줄무늬로.
모슬린 천, 은빛 반짝임. 하얀 작약 가득 꽂힌 묵직한 단지.

물러가는 빛

RETREATING LIGHT

너희는 언제나 이야기를 기다리는
아주 어린 아이들 같았어.
그리고 나는 너무 여러 번 그걸 해 왔어;
이야기 들려주는 일에 지쳤어.
그래서 너희에게 연필과 종이를 줬지.
빽빽한 풀밭에서 보낸 오후들, 내가 직접 모았던
갈대로 만든 펜들을 너희에게 줬잖아.
내가 말했지, 너 자신의 이야기를 써 보라고.

들어주기만 한 그 모든 세월 후에
난 너희가 이야기란 무엇인지
알게 되리라 생각했어.

우는 게 너희가 할 수 있는 전부였어.
너희는 모든 걸 듣고 싶어 했고
스스로는 아무것도 생각하지 않았어.

그때서야 나는 알았지, 너희가
진정한 배짱과 열정을 가지고 생각할 수 없단 걸;
너희는 자기 삶을 아직 갖지 못했던 거야,

자신의 비극들을.
그래 내가 너희에게 삶을 주었고, 너희에게 비극을 주었어,
도구들만으로는 분명 충분하지 않았으니까.

너희는 절대로 모를 거야,
너희가 거기 독립적인 존재들처럼
앉아 있는 걸 보는 게 얼마만큼 나를
기쁘게 했는지, 내가 너희에게 준 연필을 쥐고서
여름 아침이 글쓰기로 사라질 때까지
너희가 열린 창가에서 꿈꾸고 있는 걸 보는 것이.

창작이 너희를 엄청 신나게
만들었지, 그럴 거라 나 알고 있었지,
처음에는 늘 그러하니.
이제 나는 내 뜻대로 내가 하고 싶은 걸 하네,
다른 것들에 관심 두며, 분명코
너희는 더 이상은 나를 필요로 하지 않으니.

저녁 기도

VESPERS

    당신이 계획했던 것, 당신이 의도했던 것을 나 알아요, 내게
    세상을 사랑하라고 가르치는 것, 완벽히 돌아서고
    완벽히 닫아 버리는 걸 다시는 못 하게 만들기―
    그건 어디에나 있어요; 내가 눈을 감을 때,
    새의 노래, 이른 봄 라일락 향기, 여름 장미 향기:
    당신은 데려가려고 하지요, 꽃들 하나하나, 대지와 연결된 그 하
나하나―
    왜 당신은 내게 상처를 주려 하나요, 어째서 당신은 내가 마지막에
    적막해지길 바라시나요, 내가 희망에 그리도 목매는 걸 당신이
원치 않으시면
    나는 마침내 아무것도 내게 남지 않았다는 걸
    보지 않으려 할 텐데요, 그 대신 마지막엔
    당신만이 내게 남겨졌다는 걸 믿을 텐데요.

저녁 기도: 재림

VESPERS: PAROUSIA

내 인생의 사랑, 당신은
사라졌고, 나는 다시
젊어진다,

몇 년이 지난다.
대기는 소녀 취향의 음악으로
가득하다;
앞마당의
사과나무는
꽃들이 만개했다.

나는 당신을 되찾으려 한다,
그것이 글쓰기의
요점.
하지만 당신은 내가 기억 못 하는
몇 마디 말을 하고선,
러시아 소설들에서처럼
영원히 떠나가 버렸다—

세계가 얼마나 비옥한지,

내게 속하지 않은 것들로 얼마나 충만한지—

나는 꽃들이 산산이 부서지는 것을 바라본다,
더 이상 분홍 아니고,
오래된, 오래된, 누르스름하니 흰—
꽃잎들은 빛나는 잔디 위를
가냘프게 파닥이며
떠다니는 것 같다.

당신 정말 아무것도 아니었는데,
너무 빠르게 하나의 이미지로,
어떤 향기로 바뀌어—
당신은 도처에 있다, 지혜와
고뇌의 원천으로.

저녁 기도

VESPERS

이제 당신 목소리가 사라졌어요. 거의 들리지 않아요.
당신 별빛 같은 목소리 이제 전부 그림자 되고
당신 마음의 엄청난 변화들과 함께
대지는 다시 어둑해집니다.

낮에는 단풍나무들 너른 그림자들 아래
여기저기 풀이 갈색으로 변하네요.
이제, 저는 모든 곳에서 침묵으로 듣습니다,

제가 당신에게 다가갈 수 없다는 건 분명해요;
저는 당신을 위해 존재하지 않고, 당신은 제 이름 위에
줄을 그었지요.

어떤 경멸로 당신은 우리를 붙들고
오직 상실만이 우리 위에 당신 힘 새길 수 있다고
믿게 하시나요,

하얀 백합들 흔드는 가을의 첫 비—

당신이 떠날 때, 당신은 완벽히 떠납니다,

모든 것들에게서 눈에 보이는 생명을 떨구고

그러나 모든 생명은 아니고,
우리가 당신에게서 등 돌리면 안 되니.

저녁 기도

VESPERS

팔월의 끝. 존의 정원 위에 친
천막과도 같은
열기. 그리고 어떤 것들은
시작하려는 결기가 있어요,
토마토 다발들, 옹기종기 때늦은
백합 가닥들―그 커다란 줄기들의
낙천주의―위엄 있는
금빛과 은빛: 하지만 어째서
어떤 것은 종말에 그리
가깝게 시작하는지요?
결코 영글지 않을 토마토들,
겨울이 죽일, 봄에 돌아오지 않을
백합들. 혹은
당신은 생각하시나요
내가 너무 많은 시간을
앞을 바라보는 데 쓴다고,
여름에 스웨터 입고 있는
늙은 여자처럼;
당신은 말씀하시나요
내가 잘 자랄 수 있다고,

견디는 데 아무런 희망이
없는데도? 붉은 뺨의 눈부신 빛,
점점이 진홍으로 얼룩진,
희디 흰, 열린 목구멍의 영광.

저녁노을

SUNSET

내 커다란 행복은
절망 속에서도 내게 외치는
네 목소리가 만드는 소리; 내 슬픔은
네가 내 거라 받아들이는 말로
네게 대답할 수 없다는 것.

너는 너 자신의 언어에 믿음이 없어.
그래서 너는
네가 정확하게 읽을 수 없는
징표들에 권위를 부여하지.

그렇다 해도 네 목소리는 언제나 내게 닿지.
또 나는 한결같이 대답하지,
겨울이 지나가듯
내 분노가 지나가. 내 부드러움
네게 분명히 보일 테지,
여름 저녁의 산들바람 속에서
또 너 자신의 응답이 된
말들 속에서.

자장가

LULLABY

이제 쉴 시간; 그 정도
신났으면 이제 된 거야.

저물녘, 그리고 이른 저녁. 반딧불들
방 안 여기저기서, 여기서 저기서 깜박이고,
여름의 깊은 향내가 열린 창문을 가득 채우고 있어.

이것들을 더는 생각하지 마.
가만히 들어 봐, 반딧불 같은, 내 숨소리를,
네 숨소리를, 각자의 작은 호흡은
세상이 드러나는 하나의 불꽃.

여름밤에 나는 네게 노래를 불러 주었지, 충분히 오래.
마지막에 가선 내가 너를 이길 거야; 세상은 너에게
이처럼 한결같은 전망을 주지 못하잖아.

너는 나를 사랑하는 법을 배워야 해. 침묵과 어둠을
사랑하는 법을 사람은 배워야 해.

은빛 백합

THE SILVER LILY

밤이 다시 차가워졌다, 이른 봄의
밤처럼, 그러다 다시 고요해졌다. 말이
당신을 방해할까? 우리는 이제
혼자다; 침묵할 이유가 없다.

당신 볼 수 있지, 정원 위로—보름달이 떠오른 것을.
다음 보름달을 나는 볼 수 없겠지.

봄에, 달이 뜰 때, 그건
시간이 무한하다는 뜻이었지. 열리고 닫히는
눈풀꽃, 창백하게 떠돌며 떨어지는
단풍, 무리지은 씨앗들.
흰색 위에 흰색, 달이 자작나무 위로 떠올랐다.
그리고 나무가 갈라지는, 그 구부러진 부분엔,
처음 나온 수선화 이파리들이,
부드러운 은초록 달빛 속에.

우리는 함께 끝을 향해 너무 멀리 와 버렸기에 이제
끝이 두렵지 않아. 이 밤들, 끝이 무얼 의미하는지 안다고
나 더는 확신할 수 없어. 또 당신도, 한 사람과 내내 함께 있었

지—

그 첫 울음들 후,
기쁨은, 두려움처럼, 아무런 소리를 내지 않는가?

구월의 황혼

SEPTEMBER TWILIGHT

내가 너희를 함께 모았네,
나 너희들 없이 살 수 있어―

나는 지쳤어, 너희들에게, 살아 있는
세계의 혼돈―
나는 다만 나를 넓힐 수 있으니
살아 있는 것을 향해 그토록 오래.

내 입을 열고, 내 새끼손가락을
들어 올려서, 나, 너희들을 소환하여
존재하게 하였지, 희미하게 빛나는

야생 과꽃의
파랑, 활짝 핀
백합, 거대한,
금빛 잎맥―

너희들은 오고 또 가고; 마침내
나는 너희들 이름도 잊어버리고.

너희들은 오고 또 가네,
너희 각자는 이런저런 흠이 있고,
이렇게 저렇게 타협하고: 너희는
한 생의 가치가 있어, 딱 그 정도.

내가 너희를 함께 모았지;
나는 너희들을 지워 버릴 수 있어
던져 버린 초안처럼,
습작처럼,

왜냐하면 내가 너희를 끝냈으니까,
가장 깊은 애도의 상상을.

금빛 백합

THE GOLD LILY

나 지금 죽어 가고 있고
나 다시 말할 수 없을 것임을,
땅보다 오래 살지 못할 것임을, 다시 땅을
떠나라고 소환된 것임을 내가
감지하고 있으니, 아직
꽃이 아닌, 다만 잔가시일 뿐, 거친 먼지가
내 이랑들을 붙들고, 나 당신을 부르네,
아버지 그리고 주인님: 도처에서,
내 동료들은 실패하고 있어요, 당신이
안 보고 있다고 생각하면서요.
당신이 우리를 구하지 않는다면
당신이 본다는 걸 어떻게
알 수 있을까요? 여름 황혼녘, 당신은
아이의 공포를 귀담아 들을 만큼
가까이 있는가요? 아니면
나를 키우셨던 당신,
당신은 내 아버지가 아닌가요?

흰 백합

THE WHITE LILIES

한 남자와 한 여자가
그들 사이에 별들의 화단 같은
정원을 하나 만들어, 여기서
여름 저녁에 머무른다,
저녁이 그들의 공포와 함께
차가워진다: 그걸로
모든 게 끝날 수 있다,
파국이 가능하다. 모두, 모든 것이
상실될 수 있다, 향긋한 대기 사이로
쓸데없이 솟아오르는
그 좁다란 기둥, 그 너머로,
양귀비꽃의 바다가 물결친다—

쉿, 사랑하는 이여. 되돌아오려고 내가
몇 번의 여름을 사는지 그건 내게 중요하지 않아요:
이 한 번의 여름에 우리는 영원으로 들어갔어요.
그 찬란한 빛을 풀어 주려고 나를 파묻는
당신 두 손을 나 느꼈어요.

야생 붓꽃

초판 1쇄 발행일 2022년 11월 7일
초판 2쇄 발행일 2024년 10월 10일

지은이 루이즈 글릭
옮긴이 정은귀

발행인 조윤성

편집 구민준 **디자인** 박지은(표지) 김지연(본문) **마케팅** 이지희
발행처 ㈜SIGONGSA **주소** 서울시 성동구 광나루로 172 린하우스 4층(우편번호 04791)
대표전화 02-3486-6877 **팩스(주문)** 02-585-1755
홈페이지 www.sigongsa.com / www.sigongjunior.com

글 ⓒ 루이즈 글릭, 2022

이 책의 출판권은 ㈜SIGONGSA에 있습니다. 저작권법에 의해
한국 내에서 보호받는 저작물이므로 무단 전재와 무단 복제를 금합니다.

ISBN 979-11-6925-273-7 03840

*SIGONGSA는 시공간을 넘는 무한한 콘텐츠 세상을 만듭니다.
*SIGONGSA는 더 나은 내일을 함께 만들 여러분의 소중한 의견을 기다립니다.
*잘못 만들어진 책은 구입하신 곳에서 바꾸어 드립니다.